MANUEL DE POÉTIQUE
À L'INTENTION DES JEUNES FILLES

DE LA MÊME AUTEURE

chez le même éditeur

Abandons, poésie, 1996.

La maison d'Ophélie, poésie, 1998.

Terroristes d'amour [1986] suivi de *L'endroit où se trouve ton âme* [1991], poésie, collection «Territoires», 2003.

Terra vecchia, poésie, 2005.

Impala [1994], roman, collection «Territoires», 2007.

Histoires saintes [2001], nouvelles, collection «Territoires», 2012.

L'année de ma disparition, poésie, 2015.

chez d'autres éditeurs

Impala, traduit en anglais par Daniel Sloate, Toronto, Guernica Editions, 1997; traduit en italien par Silvana Mangione, Isernia, Cosmo Iannone editore, 2003.

Averses et réglisse noire, poésie, La courte échelle, 2003.

Unholy Stories, traduit en anglais par Nora Alleyn, Toronto, Guernica Editions, 2005.

The Place Where Your Soul Dwells, poèmes choisis, traduits en anglais par Nora Alleyn, Toronto, Guernica Editions, 2008.

Hollandia, novella, Héliotrope, collection «K», 2011.

CAROLE DAVID

Manuel de poétique à l'intention des jeunes filles

poésie

LES HERBES ROUGES

Les Herbes rouges remercient le Conseil des arts du Canada et la Société de développement des entreprises culturelles du Québec, pour leur soutien financier.

Les Herbes rouges bénéficient également du Programme de crédit d'impôt pour l'édition de livres du gouvernement du Québec.

L'auteure remercie le Conseil des arts et des lettres du Québec, le Conseil des arts de Montréal, la bibliothèque d'Ahuntsic et plus particulièrement Lucie Bernier.

Catalogage avant publication de Bibliothèque et Archives nationales du Québec et Bibliothèque et Archives Canada

David, Carole, 1954-

Manuel de poétique à l'intention des jeunes filles

Poèmes.

ISBN 978-2-89419-299-3

I. Titre.

PS8557.A77M36 2010   C841'.54   C2010-940092-5
PS9557.A77M36 2010

*J'adore la poésie parce que c'est facile à lire
et c'est bien en avion.*

JACQUES CHIRAC

SE TENIR DEBOUT (ET À VOIX HAUTE)

Un jour vint où l'on sut lire sans épeler, sans
entendre et la littérature en fut tout altérée.

PAUL VALÉRY

Debout, à voix haute, n'est pas une pratique de la poésie,
c'est une mise à mort ; timbre, volume, inflexion,
voici mon œuvre passée à tabac entre chant et suicide ;
ma bouche crache, râle, mes poèmes sont rares et laids :
jeunes femmes amputées, mères vert-de-gris,
garçons de chambre qui visitent mon sexe.

elle déteste lire en public

Quand je suis assise, je pense, j'écris, je rature ;
quand je me lève, je tremble, toussote, m'emballe
parce qu'entre ma voix écrite et ma voix réelle,
il y a le dragon de soi.

lorsqu'elle écrit
combat avec elle-même

Ai-je écrit trop haut ou trop bas ?
Ai-je imité la voix de mes maîtres ?

copie ses idôles

Je n'entends pas ce que j'écris,
la chose vocale me déserte.

Je suis sur une ligne partagée avec les icônes
qui crient derrière ma gorge : Ann, Amelia,
Emily, Jeanne d'Arc et la Thérèse extatique,
tant de visions récitées par mes chevilles maigres,
mes pieds longs et plats comme la Belgique,

sainte
on juge sa poésie, aussi selon son apparence

mes dents écartées qui flottent dans la salive
(eaux écrites); ma bouche n'entend rien.

Je suis muette devant une montagne de souliers, *auschwitz*
les lacets crevés de sang (mes cordes vocales);
comme j'ai la haine de mon corps
(cicatrices, abandons, blancheur), j'ai hâte d'en finir;
qu'on me donne la peau d'une comédienne,
que je puisse décliner les classiques,
les dictées trouées avec grâce et abandon,
qu'on me redonne ma cuisine, ma tête suspendue, *son lieu*
mes billes de verre, que je puisse passer *billes = jouer*
du monde visible au monde invisible, *jouer avec mots*
déposer ma langue sur un crochet,
crier enfin : «Je suis rentrée à la maison!»

Icônes
cuisine } *important pour C. David.*

Les pieuses domestiques

UNICA ZÜRN
Maîtresse des anagrammes

« Quelqu'un qui voyage en moi me traverse. Je suis
devenue sa maison. »

Berlin bombardé parcourt tes veines,
anagrammes, rhizomes s'y sont formés
à ton insu ; le nouveau-né dans les décombres,

cordon ensanglanté autour du cou,
première faille ; les insectes ont établi
leur demeure dans la cache de ton alphabet ;

ces hallucinations dévotes auxquelles
tu es soumise quotidiennement
jusqu'à la défenestration dans le fracas,

sonore printemps ; nous sommes chacune déferlante
massacrée par la pointe des glaciers.

SAINTE LUCIE
Voyante et guérisseuse

« Mon langage ne changera pas. »

Spirales, coquillages censés éloigner
le *malocchio* ; yeux de nacre trouvés
dans la Méditerranée par les pêcheurs

superstitieux ; comme toi je me suis arraché
les yeux et les ai jetés à la mer, en vain ;

c'était quelques jours après le solstice
d'hiver, j'étais prisonnière du noir
et de l'enfer, tendons noués, jambes sciées
autour du cou, étrangère. Je me fondais

dans une colère sourde avec une odeur
de coquille ouverte.

MARY SHELLEY
Mère et gothique

«J'avais le vague sentiment que nous n'étions pas au bout de nos peines.»

Dans sa cuisine, Mary a arraché des têtes,
recousu des ailes, rapiécé des membres,
des chaussettes en cuisinant le rosbif.

Elle a créé un *monstre fracturé**, objet menaçant
à la recherche d'une âme et d'un cercueil;
il est apparu par une chaude journée d'été

devant le barbecue, les instruments à la main :
crayon, scalpel, rapporteur d'angles.
Sa fiancée accoudée à la table de jardin

buvait du mercure et dessinait sa robe
de mariée sur du papier argenté.

---

* Jean-Marc Desgent.

15

MARIA GORETTI
Sainte et poignardée

« *Je te pardonne.* »

Ton visage m'apparaît dans un duplex
de Saint-Léonard au milieu des lampions allumés.
Jeune vierge figée dans la cire ; une gerbe de lys

camoufle les blessures
de tes quatorze coups de couteau,
corset floral qui transforme
ta douleur en jouissance, ton désir en rage.

Les voisins t'ont offert une Bible, une couronne
et une robe de communiante, la semaine
précédant tes fiançailles noires ;

j'ai cousu ton image sur ma poitrine,
sous ma guêpière couverte de sang.

LOUISA MAY ALCOTT
Déesse de la fiction domestique

« L'amour est un embellisseur. »

Quatre filles mises au monde hors mariage,
dans la fiction : Meg, Jo, Beth, Amy. La psyché
féminine et son centre : la maison, les affaires du cœur,

les enfants dont personne ne veut ; tu crées
quatre caractères loin de la chasse à la baleine,
de *La lettre écarlate* et de Thoreau ; si je savais vivre,

je serais une jeune fille cruelle avec une dentelle salie,
ton livre ouvert sur mes genoux écorchés.

JOYCE MANSOUR
Surréaliste et reine d'Égypte

« Invitez-moi à passer la nuit dans votre bouche. »

C'est l'hiver que je passe avec toi
dans un lit d'impatientes immortelles
aux bouches carnivores,

les jambes arc-boutées jusqu'au ciel
feignant grâce et provocation ;
au matin, je me vêts de restes d'animaux,

boucliers tombés de tes poèmes ; la science
exacte de tes images, organes lisses
et poivrés ; j'ai l'espoir d'atteindre

ta perfection si je renais à Sodome
« d'une vache et d'un fossoyeur ».

JEAN SEBERG
Actrice et égérie

« *Tu connais William Faulkner ?* »

Jeanne d'Arc, ainsi tu nais dans un film,
offerte aux démons intérieurs, pleine de grâce ;
plus tard, candide, éternelle jeune fille,

les cheveux incendiés en distribuant
le *Herald Tribune* sous l'œil de Godard.
Une lettre et un poème ont été retrouvés

[annotation manuscrite : Rôle dans à bout de souffle]

dans ta bouche ; l'alcool les avait préservés,
au contraire de ton corps, volatilisé
dans ta maison natale de l'Iowa

avec le cercueil de ta petite fille blanche
ficelée dans une couverture.

EMILY DICKINSON
Poète et ornithologue

« Oses-tu voir une incandescence ? »

Vous ordonnez le monde dans vos feuillets :
l'Homme, le Ciel, la Terre, Dieu ;
la perfection vous guette. Le cosmos est un quatrain,

une prière, la matière de la poésie, une aile arrachée.
À votre réclusion dans votre chambre,
vous réunissez les éléments infiniment petits :

coquelicots, abeilles sur une échelle de cent.
Votre laboratoire, demeure éternelle
où vous redonnez vie aux oiseaux condamnés.

ELIZABETH SMART
Le fantôme de Grand Central Station

« C'est un état où l'intolérable subit une éclipse et devient coma. »

Accablée, j'ai cherché ta présence à Grand Central ;
j'ai parcouru le hall, la salle des pas perdus
en étrangère ; j'ai attendu qu'une voix,

qu'un souffle émergent, j'ai marché sur les rails
accompagnée par les rats, fouillé les wagons,
je n'ai rien entendu ; rivée à ma condition, ton image

s'est imprégnée en moi ; voici ton visage torturé,
voici ta présence unique, ton jardin piqué d'aromates,
ton amant catholique, tes quatre bâtards.

J'ai senti les effluves de l'alcool et des fleurs
sur chaque passager ; ton exil, de la gare des trains
à ce lieu qui n'existe pas ; je t'ai donné rendez-vous

au pied de l'horloge numéro un dans la béance
de la lumière projetée sur la tête des voyageurs.

Était-ce toi qui portais le tailleur et la voilette mauves,
les cheveux bouclés, les rembourrages aux épaules ?

LAURE (COLETTE PEIGNOT)
Mystique et exaltée

« J'ai cru monter au ciel / Comme une sainte. »

Portée en croix, incandescente, bien dressée
par le surhomme, dissimulée à l'intérieur
d'un autre prénom, ton visage sans marques ;

les meurtrissures existent ailleurs :
le col de ta chemisette, l'envers de ton vison,
sont des taches aveugles sur ton sexe.

Avec une voix sinistre, l'histoire
de la bourgeoise catholique, tes lèvres
offertes au maître.

Puisses-tu te déployer jusqu'à lui !

CHRISTINE LAVANT
Pieuse domestique

«J'étais comme une fontaine qu'on avait massacrée.»

à Benoit Jutras

Dans une mansarde tricotée en terre, les voyelles
t'apparaissent : arbre, larve, fougère, montagne,
rivière, la lumière aspirée par ton ventre ;

chaque nuit, tu partages avec les louves tes récits de boue,
de chauve-souris consumées par la foi ; ta laideur,
celle d'une sainte au torse scarifié, te rapproche

de Dieu ; laisse tes genoux frotter contre le bois,
ta tête se balancer contre les ruines,
«Détruis en moi les plantes vivaces de la mélancolie.»

CAMILLE CLAUDEL
Sculpteure et maîtresse

*« Un mouleur pour se venger a détruit à mon atelier
plusieurs choses finies. »*

Submergée par la vague des cerisiers en fleur,
mon corps en suspension au-dessus du tien
en allé rue de Varennes, dans ta dernière

demeure ; tes mains, ton souffle sur la matière
avant la transformation ; chair tordue de douleur,
moulée sur tes modèles ; chevelures figées

dans le marbre, valse mortifère dans la salle
d'exposition traversée par ta présence lumineuse ;
vision de toi, enfant dans la noirceur du matin

avec ta boîte de couleurs et de visages
accrochée à la ceinture.

AMELIA ROSSELLI
Libellule et aphasique

« Faire du poème une pièce poétique. »

Ton espéranto émotif (une langue folle) à mes oreilles ;
phonèmes anglais, français et italiens traduits
dans une musique provocante ; ta silhouette émerge

au loin : paysage vert sur les corps de ton père
et de son frère assassinés tandis que tu chantes déjà
(une complainte) l'adolescence ; tes vers de désespoir

comme des leçons de solfège apprises le canon
entre les côtes : la mort t'attend sur un toit de Rome.

Icônes

LES POÈTES BOIVENT DES MARTINIS

pour saluer Sylvia Plath et Ann Sexton

Sylvia et Ann boivent des martinis dans le bar
d'un hôtel à Boston. Leurs robes aux motifs soyeux
s'enroulent autour de leurs doigts ; elles se demandent

s'il faut être hantées par la vaisselle et les draps
pour écrire des poèmes dans lesquels les objets volent
entre vers et prose, atterrissent sur les murs

de la cuisine et se fracassent au cœur des images
ou des phrases déclinées durant leurs années
d'apprentissage. Les deux femmes, ménagères averties,

écrivent sur les boîtes de macaronis, les préparations
pour gâteau ; Betty Crocker est une muse, spatule
à la main, elle scande la mesure de leurs cris étouffés

dans le garde-manger. Les portes d'armoire claquent,
le lavabo hurle ses déchets accumulés par la famille.
Sylvia et Ann boivent des martinis, leur tête

est lourde, le travail s'accumule depuis leur départ.
J'écoute leur conversation féroce, je suis derrière,
subjuguée par leur maîtrise des mots et de l'art ménager ;

émue je m'incline devant leurs voix.
Je n'ouvrirai pas le gaz de la cuisinière.

LE ROMAN DE LA PELOUSE

en hommage à Richard Brautigan

Depuis l'enfance, la psychologie des arbres, les tiges sur son cœur rongées par les insectes. Elle aime le sang vert de la pelouse fraîchement coupée, ses monstres chimiques liquéfiés. La noyade interdite, les pissenlits mangés par leurs racines, des paroles de condamnés lui montent à la tête. Elle boit à même le boyau d'arrosage. Une queue de tigre, un serpent sans écailles s'enfoncent dans sa gorge.

Le printemps éveille tous les sens.

Dans le deuxième chapitre, sa mère, corps lacéré dans son maillot de bain Jantzen, s'allonge avec ses yeux de chat. Encore le gazon, un lit d'épines, celui d'une sainte qui avorte sous le balcon sans reconnaître son enfant.

La pelouse est un mal nécessaire. L'homme s'appuie sur la tondeuse, le ventre lourd sur le sac d'immondices, il respire l'essence brûlée et rêve aux jeunes filles asiatiques laissées en plan sur l'écran de veille.

La tondeuse n'a pas de sexe. Elle va et vient dans le cerveau de son propriétaire. Un homme anonyme qui se croit immortel. Ses poils sont drus, ses doigts malhabiles. Si la mécanique lui échappe, il en veut au ciel et à l'éternité.

Sa queue à vif dans les corolles des pâquerettes annonce l'arrivée de l'été.

Le dénouement n'étonne en rien. La jeune fille fait de la pelouse un sujet étonnant. Penchée sur ses livres, elle imagine la cour avec ses cocktails servis pendant les anniversaires, tourbillons, amours naissants d'adolescents sur le mobilier de jonc ; dérives nocturnes sous les arbres, herbes folles et défendues.

Les dames de la pelouse la visitent en rêve. Déesses chevauchant des flamants roses dans le jardin ; lièvres, mouffettes, marmottes, animaux de banlieue complices de cette jeune fille.

L'harmonie règne.

La conclusion émeut, la fin d'une époque. Son père met la tondeuse au rancart et recouvre le sol d'un tapis vert synthétique, simulacre parfait de ce que sera la vie familiale à l'avenir.

JEANNE D'ARC

« Une cigarette avec un corps attaché après. »
RAYMOND CARVER

Fille du feu et d'Hochelaga,
elle assoit son enfant dans le Jolly Jumper
pendant qu'elle étend les vêtements sur la corde ;
elle ne sent pas le bout de ses doigts
sur les salopettes en velours côtelé ;
elle ne sait pas si le feu de la cuisinière
est ouvert ou fermé.
Son sang atteint le point d'ébullition ;
elle ne sait pas combien de temps elle a pour réagir,
elle ne sait pas si c'est un rêve
quand elle entend une sirène au loin.

Est-ce la nuit ou le jour ?

Chaque fois qu'elle fait la lessive,
le ciel enragé se moque d'elle,
le détergent lui brûle les doigts ;
les cristaux chimiques, les vêtements
virevoltent dans sa tête : slips de dentelle,
pyjamas, chaussettes, soutiens-gorges,
la corde est pleine.
Ses jointures saignent,
trop de Javel, trop de froid,
des engelures, des mains de vieille femme.

Elle revoit les cigarettes volées
dans les paquets de Du Maurier de sa mère ;
elle aurait peine à les prendre
à ce moment précis
où son âme se détache de son corps ;
ses doigts paralysés, son cœur, sa bouche,
ses jambes clouées au sol ;
elle entend son fils pleurer,
« Il fait ses dents, lui a dit sa mère,
les incisives percent sa chair. »

Jeanne aime le feu, la chaleur, surtout celle des hommes.
Adolescente, elle les allume avec des briquets
de collection : Bijou, Ronson, Étincelle, Zippo.
Le premier à l'avoir embrassée :
nuage dans la bouche, chaleur diffuse dans la gorge.
Le reste du temps, elle ferme les yeux ;
la cigarette se consume.

Enfant, sa mère la surveille :
briquets, allumettes, chandelles
sont à l'intérieur d'armoires inaccessibles.
Le jour de son anniversaire, elle reste figée
devant le gâteau illuminé.
Pourquoi son père la force-t-il à souffler les bougies
si ses vœux ne se réalisent pas ?
Puis elle apprend dans un livre de contes
à lire l'avenir dans le feu,
à fabriquer des cocktails Molotov.

Les curieux sont attroupés devant le brasier ;
peu importe, le garçon et sa mère
sont montés au ciel, en sont redescendus aussitôt
dans les bras des sauveteurs.
« Des anges », a murmuré la plus jeune des recrues.
Des voisines ont remarqué une robe, un ourson
descendre en flammes de la corde à linge,
se retrouver par terre intacts.

La mère de Jeanne a soutenu devant le coroner
qu'elle a vu un homme surgir de la ruelle
lâchant derrière lui sa haine et un bidon d'essence,
un cauchemar qui la hante depuis
la naissance de son petit-fils, un présage gardé secret
de peur qu'il ne se réalise, un jour comme aujourd'hui
où les flammes se sont liguées contre sa fille.

Avec leur échelle, les pompiers ont rejoint
le deuxième étage du triplex ;
les flammes léchaient la brique, la tôle du hangar.
Il fallait récupérer les corps
dans cette chaleur, vérifier chacune des pièces ;
l'un d'eux est sorti avant les autres,
il s'est effondré sur le bord du trottoir
après avoir trouvé la mère et son fils enlacés
sur le plancher de la cuisine.

La mère de Jeanne s'en veut de les avoir abandonnés
le jour de la lessive ; elle se rappelle des crises de sa fille
les lundis autour des monticules de vêtements
dans la cuisine de la rue Bourbonnière.

Elle s'en veut d'être arrivée
après que les pompiers aient redescendu
de leur nacelle avec les deux corps.
Elle s'en veut de l'avoir mise au monde.

Trois jours de pèlerinage

Dans ce quartier, les femmes-fourrures ramassent
des fruits qui pourrissent dans leurs poches,
alcool de poissons et de verdure, odeur de loutre
à la commissure des lèvres.

Minuit, pleine de rage, je parcours les allées du marché.
Il n'y a ni carrosse, ni citrouille, ni cow-boys
sur leurs grands chevaux pour me redonner vie
(Sam Shepard a disparu).

Au loin les panneaux lumineux orientent mon sommeil ;
reliée par un tube à l'existence, je respire
sur les vers d'Alda Merini, son jardin est le mien,
sa réclusion, ma joie.

J'habite un deux-pièces, sur le haut d'une montagne
à pèlerinage. Pour entrer dans la cour, il faut une suite
de chiffres magiques : Deuxième Guerre mondiale,
Révolution française, guerre d'Algérie.

Le soir, avant de monter, j'enjambe les masques à gaz,
les veuves déchiquetées, les enfants en arrêt respiratoire,
mon oncle a survolé ce ciel, il en est mort.

Le jour, je discute avec des polyglottes ;
nous cherchons dans nos poèmes des pruniers sans fruits,
des Chinoises prisonnières de grains de riz.

Les vers tombent un à un dans le fracas,
comme dans un salon de quilles, un dimanche après-midi.

Trois dollars vingt-cinq par partie pour une personne,
dix-sept dollars l'heure pour une allée ;

le matin, avant de me mettre à table,
je demande à Alda si mon corps
est à la hauteur de la poésie, elle me répond :

Je voulais être diaphane, douce et pâle, peut-être
était-ce là le piège.

À la troisième rencontre, un poète pleure.
Il n'entend pas sa voix résonner dans la nôtre ;
chacun parle les yeux rivés au sol.

Je me remets à la traduction, vingt cents le mot
pour la poésie. Alda me sourit et me protège,
l'esprit de la langue m'a abandonnée.

*Cette femme préfère prononcer les mots au lieu de
leur donner naissance*.*

La poète a raison : je lis sans comprendre,
un exercice humiliant qui me rappelle les ébats
d'une femme, les chevilles attachées aux poignets

(comment écrire à quatre pattes ?) ;

seulement la langue dans l'exiguïté de la pièce.
A. refait surface, crayons dans la bouche ;
elle me demande de les tailler.

---

* Alda Merini.

Le dernier soir, je porte ma tête de nageoires
après avoir baisé un requin sur un étal de Montmartre
(j'ai abandonné le poème).

Sa langue était russe, son membre se désagrégeait
entre mes mains. Après je suis redevenue poussière.

Tout est révélation : plumes, moussons, cheveux
en croûte ; qui voudrait me porter en terre
à la fois légère et piquée d'acariens ?

Si je reviens, je veux voyager avec des âmes
à bout de bras, tirées par des cercueils de verre.

Études

GEORGE SZIRTES
Mariage à Budapest

Le poète se tient debout dans un poème
intensément blanc comme une robe de mariée
portée une seule fois ; je regarde sous la robe :
un escalier en spirale, une femme de ménage,
le peigne passé sur les cheveux de la fiancée
hongroise ; ce pourrait être une photo ancienne

prise par la mère du poète avant l'entrée des chars
dans ce pays de la Mitteleuropa ; si vous restez debout
dans le poème, vous entendrez les pleurs, le murmure

domestique des édifices inoccupés, hantés
par les dépouilles de jeunes vierges avec l'eau crachée
du Danube dans leur gorge. Le poète s'agenouille devant

les dépouilles ; nous sommes assignés à la traduction :
syntaxe, chaleur, femmes bâillonnées, je ferme les yeux.
Le poète se tient noir derrière moi, dépose sur la table

de travail le voile de la mariée, les chaussures
en poult-de-soie, les joncs échangés ; j'écris les mots
en français, j'entends le marié monter les marches,
il va toucher les cheveux de sa future femme disparue.

JOLANDA INSANA
Spacca la melagrana

La grenade occupe le centre du pupitre.
Je pourrais l'ouvrir et me tacher les doigts,
la fendre comme l'ordonne la poète,
la lancer contre le mur (une rupture mystérieuse
entre la langue et l'écorce), la plonger dans l'eau,
la sacrifier en silence, la dévorer.
Je pourrais sortir de la salle, me fracasser la tête.

Elle s'ouvrirait comme un fruit,
« en bouquets attachés sur mes cheveux ».

PAUL-MARIE LAPOINTE
Kimono de fleurs blanches

Je lis «Kimono de fleurs blanches», un long frisson
me parcourt; résolue à me noyer, je plonge au fond
de la mer, j'écris au tableau *bouche truite rouge,*

mon plat de résistance. Je remonte à la surface
emportant avec moi un géranium dans une moule
assassinée, des objets : oranges, coraux, framboises.

Les pêcheurs de la classe m'éclairent sur la réalité
de la chasse. Je leur mets la truite dans la bouche.
«Elle n'existe pas, me répondent-ils, on ne peut
la pêcher.» Pourtant, je la sens dans ma bouche,
sous ma langue. Elle vibre, elle est vivante.
Elle est la bouche de l'amoureuse qui se meurt d'amour.

J'efface la truite, elle tombe en poussière sur mes mains,
s'accroche à l'intérieur de leur tête.

Imaginez, votre tête roule à côté de vous-même,
vous saurez alors qui vous êtes.

SAINT-DENYS GARNEAU – ANNE HÉBERT
Cage d'oiseau – La fille maigre

À quelques années de distance,
le cœur de la jeune fille
et les os du jeune homme.

Dieux exilés dans un *parc d'effroi*
un os ou un poème,
la même carcasse incendiée.

La jeune fille parle d'elle en bijoux *(un ossuaire),*
le jeune homme parle de pigeon d'argile.

Tous deux enfermés dans leur mélancolie lucide,
leur jeunesse maigre et noire, dis-je aux lecteurs

captifs de la classe *(dans une cage d'oiseau)*
qui me répondent qu'ils en ont assez, qu'ils rêvent
de s'évader à la cafétéria picorer du blé et de la viande.

FABIO SCOTTO
China sull'acqua

Penchée sur le poème en compagnie de l'émondeuse
orientale, je ne vois rien, si ce n'est le mot *china*
dans sa transparence : les eaux du Mékong, M. D.,

porcelaine made in China ; le poète se moque de nous,
la Chine n'existe pas même si le paysage se déroule
à perte de vue derrière cette femme échinée,
penchée sur l'eau qui récolte le riz dans la fange.

ROLAND GIGUÈRE
La main du bourreau finit toujours par pourrir

Les consonnes se fracassent sur leurs doigts,
dans leur gorge ; fourmis atomiques,
bombes de fabrication artisanale,

je leur avoue tout sur la dictature de la rime,
le cristal et le poids des métaux.

Ils me balancent le vent.

Le poète apparaît debout devant nous,
démembré,
avec la queue du *F* sur la poitrine.

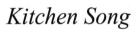

Kitchen Song

I wanted
something, simple and domestic. A kitchen song.

LAURA KASISCHKE,
Dance and Disappear

JE ME TAIS

J'écoute les chants de travail des femmes monter en moi :
bruits, mécaniques, fluides corporels, intraveineuses ; j'entends leurs appels au secours dans une démonstration de
la vie quotidienne. Lave-vaisselle, batteurs électriques,
essoreuses à salade s'emballent sur la ligne de front. La
cuisine en chute libre dans la farine et les œufs, un paysage lunaire avec ses cratères malicieux et ses bombes à
retardement.

JE RAMPE EN TREILLIS SUR LE SOL
DE LA SALLE À MANGER

Une esthéticienne enceinte donne le signal de départ
avec le micro-ondes. Un surgelé devient son complice
durant cinq minutes cinquante, le temps d'un chili con
carne. La peur des mauvaises vibrations nous habite,
celle des chats brûlés ou des bébés poulets. On peut tuer
sans couteau quelqu'un dans une cuisine.

JE CUISINE LES PETITES FILLES

Elles veulent Papa, Maman prisonniers dans leur réalité magique et domestique. Chacun se rend utile. Les petites dames éviscèrent leurs toutous pour les parachutistes morts au combat. Leurs frères tricotent des gilets pare-balles. Je m'occupe de collectionner les cravates et les étoles de vison. Le repas du soir : un mijoté de peaux tendres.

JE NE PASSERAI PAS À L'HISTOIRE

Nous avons déménagé nos pénates dans une ancienne tannerie de l'ouest. La famille est divisée. Les murs de Lascaux résonnent de déshabillés de chairs suspendues. Viêtnam, Pol Pot, Corée. Tout l'arsenal a été abandonné par les soldats : AK-47, lance-flammes, parades militaires sur le sol maculé de cambouis et d'organes momifiés.

JE ME DÉGUISE EN INFIRMIÈRE

Le corps, la cuisine, l'hôpital, je m'y connais. J'utilise les mêmes ustensiles : fouets, lanières, menottes, poupées pour pratiquer les manœuvres de réanimation. Je leur fais le bouche-à-bouche. Dans ma coiffure nid-d'abeilles sont dissimulées toutes les névroses modernes. Le souffle court, les petits apprennent à lire, pieds et poings liés dans leur uniforme.

JE RÊVE D'UNE PERFORMANCE

Tout ce que nous voulons, c'est le théâtre à ciel ouvert dans un camping électrifié. Nous avons le scénario de la guerre et de la cuisine. Les masques, les perruques, les décors crèvent de vérité. Nous agirons comme des assassins en fin de carrière. Il ne reste que les dialogues à calquer sur ceux des vivants. Nous avons dompté l'animal en nous.

JE PARLE D'UN ANGE NOIR

Il est celui qui parle *la langue de son propre incendie**. Je joue à être un homme et lui pose les questions d'usage : «Combien de sucres dans ton café?» Je brandis le drapeau. Je veux que tout le monde rentre à la maison : les chats et les chiens. Il y aura des soupes simples dans la cuisine, des linges bleus sur les meubles du salon, des sauces roussies mêlées aux cheveux des enfants.

---

* Antonin Artaud.

J'INSISTE SUR LES SONORITÉS

Quand les meubles de la chambre crient, il faut écrire.
Est-ce une affaire d'images ou de bruits si les draps nous
bâillonnent? Est-ce une affaire de sexe quand je mets ma
langue sur les phonèmes et qu'ils râlent? La commode,
la coiffeuse, la cage sont mes seuls repères dans cette
histoire de la poésie. J'insiste sur ce qui est faux pour
faire à ma tête. Le terrain est miné, j'en conviens.

J'ÉTUDIE LA LANGUE

Mes lèvres tombent, roulent sous un arbre. Si on découvre un trésor, on le garde pour soi. L'examen de la bouche et des dents permet de constater l'ampleur du dégât : l'organe est en fonction sauf que les points sucré, salé, amer, le V lingual, les papilles appartiennent à une autre. Peut-être à celle qui ne parle pas la langue, qui coud des papillons sur les revers des habits sans comprendre.

J'INTERROGE MA BIOGRAPHIE

Je suis mon frère et la mère de ma fille. Comme moi, de jeunes femmes avec un sapin artificiel en guise de cœur ont reçu des lettres jaunes de leur amant. Nous y lisons les détails de nos ruptures amoureuses. Nous en sommes là. Ce ne sont pas tant les histoires personnelles que les instruments de cuisine (responsables de nombreuses blessures, d'attentats à la pudeur dans les foyers américains) qui heurtent les sentiments.

JE DOUBLE LA RECETTE

Il y a ceux qui croient dur comme fer à l'alchimie des nombres, à la transformation des baisers en sucres d'orge ; ils observent la valse des têtes de nourrissons dans leur siège d'auto ; le battement de l'âme au cœur de la fontanelle rend les poètes pantois. Qui peut prétendre à la vérité quand on est soi-même happé par le temps et la nécessité de s'en tenir à la posologie inscrite sur la boîte de bougies d'allumage ?

JE SABOTE LE MATÉRIEL

Debout, au centre de la pièce, la boule IBM illumine les outils : le papier, les clous, la vierge pâle qui toussote entre ses images affalées sur les étagères de la bibliothèque. Babel n'est pas très loin. Engrenages, chariots, leviers, orchestre noir. Des chiffons et des membres lacérés descendent des rêves d'écritoire : l'œuvre, la fiction légère du sommeil.

JE FAIS MAISON NETTE

Nous avons abandonné l'impression par aiguilles. La couture a beau être une arme blanche efficace, elle ne peut pallier la broderie des vers de circonstance. Qui a dit que la poésie était un parfum vaporisé sur les taches de vin ou de sperme? Que ceux qui n'ont jamais donné leur corps contre une fausse biographie d'eux-mêmes nous fassent la leçon.

JE ME MUTILE

L'expérience apparaît concluante : ongles, doigts, paumes arrachées, récits intimes de croûtes impropres à la consommation. Le buffet est ouvert. Maquillage au rasoir selon Gina Pane*, breloques anciennes (appâts de stars déchues?), le défilé monte et descend, s'arrête parfois sur les pistes d'aéroports. Nous nous penchons sur la liste des passagers; les absents ont laissé leur âme en forme de pied-de-biche.

---

* Plasticienne française (1939-1990).

J'ENTENDS LA VOIX MUETTE*

Je traverse les ciels les uns après les autres. Ce ne sont pas des miroirs que je défonce, mais de minces couches de glace superposées. On ne compte plus les obstacles. Nous quittons la terre et le cortège des animaux en odeur de sainteté.

---

* Saint Augustin.

JE M'INCLINE

La défaite du langage nous ramène au lieu de naissance :
l'obsédante cuisine. Les moules à muffins, l'aide de
camp du hamburger, la matière gluante des repas prépa-
rés par les officiers traîne sur la table. Curieux moment,
brise légère sur les jambes. Dans le bois des pendus,
derrière la maison.

JE N'AI JAMAIS COMPRIS LA NATURE

Ormes, amélanchiers, lichens grimpent à l'intérieur de nous. Une invitation à se pendre. *La vie est courte, mais les journées sont longues** dans ce camp de jour. Les heures feignent le bonheur. Les roches dans les poches des tabliers nous aspirent vers le bas. On se demande si le superhéros au-dessus des réservoirs d'eau est un ange gardien.

---

* Diderot.

BIBLIOGRAPHIE

Les poèmes qui suivent ont déjà été publiés sous une forme différente :

« Paul-Marie Lapointe » (sous le titre « Une leçon de poèmes »), dans *Estuaire* n° 95, 1998.

« Emily Dickinson » (sous le titre « L'infini d'Emily »), dans *Dialogues dans l'espace-temps,* sous la direction de Marc Séguin et de Jean-François Poupart, Erpi, 2002.

« Jeanne d'Arc », dans *Art Le Sabord,* n° 62, 2002.

Lecture de « Jean Seberg », « Camille Claudel », « Emily Dickinson », « Jeanne d'Arc », « Maria Goretti », dans le cadre du Marché de la Poésie à Paris, au Centre culturel canadien, 2003.

« Le roman de la pelouse », dans *Estuaire,* n° 133, 2008.

« Les poètes boivent des martinis », « Maria Goretti », « Mary Shelley », « Jean Seberg », « Joyce Mansour » (sous le titre de « Manuel de poétique à l'usage des jeunes filles »), dans *Estuaire* n° 134, 2008.

« Je me tais », « Je rampe en treillis sur le sol de la salle à manger », « Je cuisine les petites filles », « Je ne passerai pas à l'histoire », « Je me déguise en infirmière », « Je rêve d'une performance », « Je parle d'un ange noir » (sous le titre « Histoires de malaxeurs et de couteaux de chasse »), dans *Exit* n° 52, 2008.

« Se tenir debout (et à voix haute) », dans *Exit* n° 56, 2009.

TABLE

POÉSIE ET PROSE

Dernières parutions

José Acquelin
L'absolu est un dé rond
L'inconscient du soleil
précédé de *Chien d'azur*
L'infini est moins triste que l'éternité
L'oiseau respirable
Là où finit la terre
Le zéro est l'origine de l'au-delà

Daphnée Azoulay
Marbre
Tout près de la nuit

Claude Beausoleil
Baroque du nord
Le chant du voyageur
Exilé
Rue du jour
Unknown

Mathieu Boily
Le grand respir

Louise Bouchard
Entre les mondes

Dany Boudreault
Et j'ai entendu les vieux dragons battre sous la peau
Voilà

Mario Brassard
Choix d'apocalypses
Le livre clairière
La somme des vents contraires

François Charron
Ce qui nous abandonne
Éloge de l'inconnu
Obéissance par le chaos
Le passé ne dure que cinq secondes

Marie-Josée Charest
Le reste du monde
Rien que la guerre, c'est tout

Corinne Chevarier
Anatomie de l'objet
Dehors l'intime
Les recoins inquiets du corps

Éditions Les Herbes rouges
C. P. 48880, succ. Outremont
Montréal (Québec) H2V 4V3
Téléphone : 514 279-4546

Documents de couverture :
Christine de Pisan écrivant dans sa chambre (1407)
Photo de l'auteure : Martine Doyon

Distribution : Diffusion Dimedia inc.
539, boulevard Lebeau
Montréal (Québec) H4N 1S2
Téléphone : 514 336-3941

Diffusion en Europe : Librairie du Québec
30, rue Gay-Lussac
75005 Paris (France)
Téléphone : (01) 43-54-49-02
Télécopieur : (01) 43-54-39-15

Cet ouvrage a été achevé d'imprimer
sur les presses de l'Imprimerie Gauvin
à Gatineau en août 2015
pour le compte des
Éditions Les Herbes rouges

Imprimé au Québec (Canada)